Mi Primer Libro de Lectura

Lectura Inicial para Niños
que Desean Aprender a Leer

Primeros Pasos

Ilustraciones por: Freepik.com y Vexels.com

CATEGORÍA: Libros para Niños

Printed in the United States of America

ISBN-10: 1-64081-035-8
ISBN-13: 978-1-64081-035-8

ÍNDICE

Este libro... 1

Los apuros de un analfabeto 3

El mensaje 6

La escritura 8

La biblioteca 10

Las rutas 13

Aire libre 17

El agua 21

El alcohol 25

Los alimentos 28

La familia 33

El trabajo 36

La ley 39

La vida en el cuartel 42

Las tres armas 44

Las grandes empresas humanas 47

Hacia un mundo mejor 50

No te pierdas otros libros de Editorial Imagen 55

Este libro...

Este libro quiere ser nuestro amigo.

Veamos qué es un libro.

Un libro es producto, lo mismo que el pan, del esfuerzo y la colaboración de los hombres.

Para que tengamos a punto en la mesa el pan de cada día, hubo un sembrador, un cosechador, un panadero.

Algo parecido ocurre con el libro: pan que ha de alimentar nuestro espíritu.

Un escritor lo pensó y redactó, y un hábil dibujante hizo las ilustraciones de sus páginas.

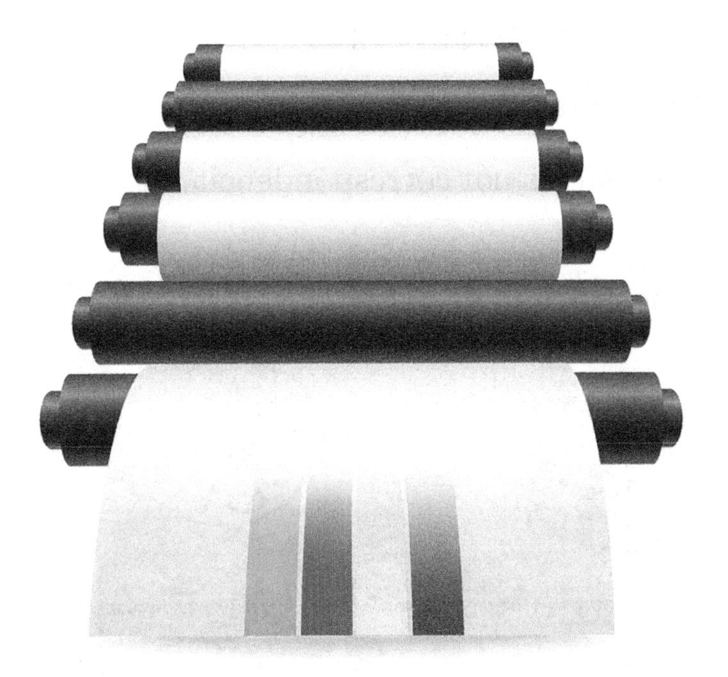

Un escritor y un diagramador le dieron forma, un impresor estampó sus páginas sobre papel y un encuadernador le puso las tapas.

Y aquí está ahora, promesa viva en nuestras manos, dispuesto a revelarnos lo desconocido.

No hay mayor maravilla que el saber.

Y no existe mayor desdicha y soledad que la ignorancia.

Un libro es fruto del trabajo y del saber de muchos hombres.

Este libro nos va a hablar de nuestras cosas, de nuestros problemas y preocupaciones del momento.

Y también del ayer y del mañana, para que se hagan fuertes nuestras almas y crezcan con el recuerdo y la esperanza.

Recuerdo de las grandes empresas humanas.

Esperanza de una vida mejor.

Mira cuánto se gana con aprender a leer.

Nuestra vida va a ensancharse, igual que los ríos aumentan su caudal, con el agua de innumerables afluentes.

Estos afluentes son libros, revistas y diarios que poco a poco iremos leyendo.

Así estaremos más capacitados para progresar.

Podremos aprender oficios, mantener cursos por correspondencia, mejorar de empleo y de nivel de vida.

Muchas puertas, antes cerradas, se nos abrirán de par en par.

Los apuros de un analfabeto

Aquí tienen a Francisco.

Francisco no sabe leer ni escribir. Vive en un pueblo pequeño, y sus vecinos le llaman Pancho.

Pancho no fue a la escuela porque su padre tenía unas ovejas y el chico las llevaba todos los días a pastar.

Y ahora que ya es mayor prefiere pasar el rato jugando a las cartas en el boliche, en lugar de asistir a las clases nocturnas de adultos.

Al que no sabe leer ni escribir se le da el nombre de analfabeto.

El analfabeto Pancho fue llamado a cumplir el servicio militar lejos de su pueblo. Como no entendía las cartas que le mandaba su novia, tenía que darlas a leer a un amigo.

A este mismo amigo le dictaba las cartas de respuesta.

Y, claro, el amigo se enteraba de todas las cosas íntimas de Pancho.

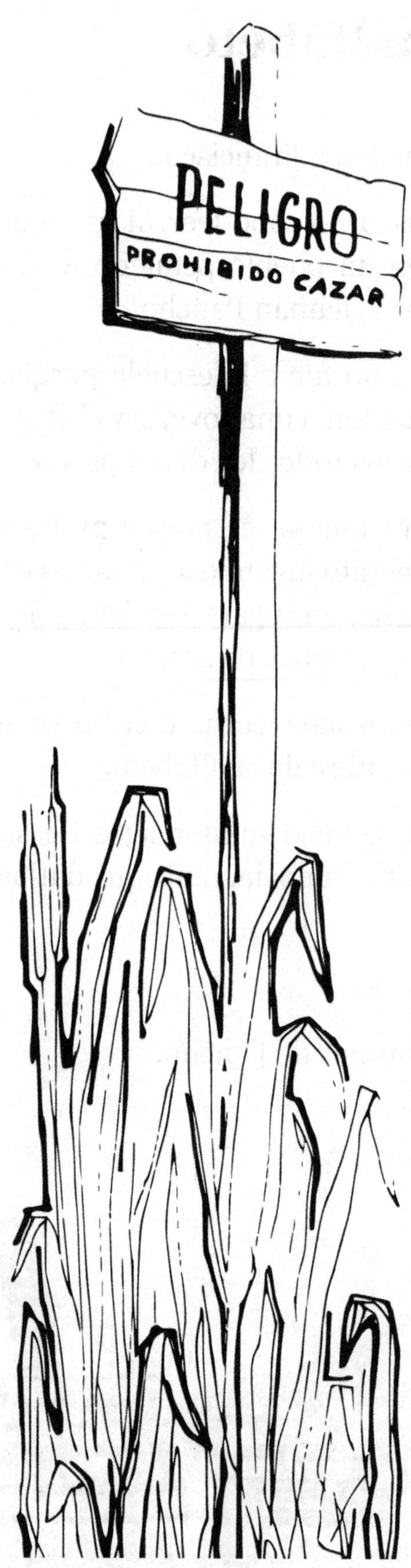

Pero no terminan aquí sus desgracias.

Un día llegaron a la agencia rural que funcionaba en su pueblo, libros y revistas que enseñaban cómo combatir las plagas y utilizar los abonos. Todos los vecinos de Pancho pudieron leerlos menos él.

Y fue una verdadera lástima, porque en aquellos libros se decían muchas cosas de gran utilidad.

Tampoco podía leer el diario, ni enterarse de lo que pasaba en el mundo.

Y no solamente esto.

En una ocasión, Pancho fue a cazar lejos del pueblo, a un monte que no conocía bien. Cuando llegó al lugar observó grandes carteles que decían:

PROHIBIDO CAZAR

Y Pancho, que no sabía leer, siguió adelante y comenzó a cazar. En eso estaba, cuando sorpresivamente hizo su aparición un guardián que le impuso una multa retirándole a la vez el producto de su caza.

Otro día fue a buscar trabajo a la capital.

Iba preguntando en las obras si necesitaban peones, y en todas le decían que no.

Cuando ya se cansó de preguntar y decidió volver a su pueblo, pasó frente a un edificio en construcción, donde había un cartel que decía:

SE NECESITAN PEONES

Se quedó mirando un rato el cartel, pero no lo entendió. Y tuvo que volver a su casa sin haber encontrado trabajo.

Ahora Pancho se casó y tiene hijos.

Los hijos de Pancho van a la escuela, para que el día de mañana no les pase lo mismo que a su padre.

*****

El mensaje

Ya viene el cartero. Al verlo, sentimos esperanza, y a veces temor. En su gran
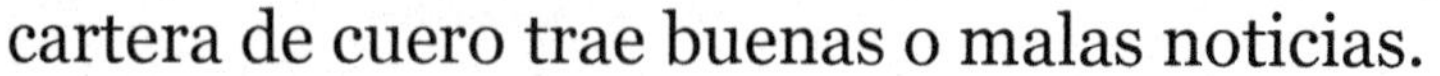
cartera de cuero trae buenas o malas noticias.

Por los caminos del campo y del pueblo, por las calles de la gran ciudad, paciente y laborioso, distribuye la correspondencia.

Bajo el sol o la lluvia, lleva y trae los secretos de los enamorados, el afán y la pena de los emigrantes, las noticias del soldado, las palabras de una madre, de un padre o de un amigo. Cartas de felicitación, de pésame, de negocios.

El servicio de correos facilita la comunicación de los hombres por medio de la palabra escrita.

Hoy tenemos, además, el teléfono, la radio y el Internet, que transmiten el sonido y llevan a distancia la palabra escrita y hablada.

Pero en épocas pasadas no había otro medio de comunicación que el correo. Y como los medios de transporte eran lentos, las cartas tardaban muchos días en llegar a su destino.

Por los caminos de entonces era frecuente cruzarse con jinetes que iban a todo galope. Se les llamaba chasquis y llevaban las cartas y mensajes de los virreyes y otros grandes personajes.

También se utilizaban las palomas mensajeras.

Un maravilloso instinto permite a estas aves orientarse y regresar a su punto de origen.

Sujeto a una pata, pueden llevar un papel escrito, enrollado y metido en un tubito de metal.

Todavía hoy en algunos casos se emplean las palomas mensajeras.

Todo esto servirá para que nos demos cuenta de la importancia que tiene la palabra escrita en la vida de los hombres.

*****

La escritura

El hombre utiliza la escritura desde la más remota antigüedad.

Al principio escribía por medio de simples dibujos y figuras.

Por ejemplo, para escribir la palabra PÁJARO dibujaba un pájaro.

No todo era tan sencillo. Y hoy, al cabo de muchos años, esa forma de escribir nos parece muy difícil.

Más tarde se inventó el alfabeto, y su uso se extendió en seguida a otros pueblos civilizados.

Actualmente disponemos de lápiz, pluma, lapicera a bolilla y un hermoso cuaderno.

Por eso nos cuesta imaginar cómo harían en aquellos tiempos para escribir sin ninguna de estas cosas.

Escribían con un objeto filoso en tablitas de cera o de arcilla.

También empleaban el papiro, una especie de hoja parecida al papel, sacada del tallo de una planta, y el pergamino, que hacían con la piel de ciertas reses.

Había que copiar los libros a mano, uno por uno.

Este trabajo era muy lento, y los libros llegaban entonces a muy poca gente.

Hasta que Gutenberg inventó la imprenta.

Con ella se pueden hacer muchos libros a la vez, permitiendo la rápida difusión de los conocimientos humanos.

Acordémonos de este nombre, Gutenberg, porque fue uno de los grandes bienhechores de la humanidad.

*****

La biblioteca

Llamamos biblioteca a una colección de libros.

Todos pueden tener en su casa una biblioteca propia, una colección de libros particular.

Pero también existen grandes bibliotecas públicas, que son de todos y para todos: a ellas vamos con frecuencia a buscar libros prestados.

Las bibliotecas de las escuelas y de otros centros de educación reciben libros de los alumnos, ex-alumnos y benefactores en general.

En algunas localidades existen también las bibliotecas ambulantes, y sus libros se prestan a la gente de distintos lugares.

Debemos cuidar los libros, no ensuciarlos ni doblar sus páginas, y devolverlos siempre puntualmente a quien nos los prestó.

Hay libros de muchas clases, tamaños y calidades: con ilustraciones o sin ellas, encuadernados en rústica, en cartón o en cuero, con tapas de cartón o tapas duras.

Según su contenido, que es lo más importante, tenemos en primer lugar los libros de estudio. Estos son los más útiles, pues gracias a ellos podemos perfeccionarnos y mejorar de posición.

El que estudia mucho siempre acaba por prosperar y abrirse camino en la vida.

En una biblioteca no pueden faltar tampoco las buenas novelas y otros libros para distracción y entretenimiento.

También hay buenos libros de poesía, es decir, de versos que pueden aprenderse de memoria y recitarse en voz alta.

Llamamos biografías a los relatos donde se cuenta la vida de algunos hombres, principalmente de aquellos que se destacaron por su talento, su heroísmo, su bondad y otras virtudes.

Un libro indispensable en toda biblioteca es el diccionario. En él se encuentran, por orden alfabético, todas las palabras del idioma, con la explicación de su significado.

*****

Las rutas

La ruta se extiende y reluce bajo el sol.

Es ancha y está pavimentada. Tiene doble mano y a cada lado una banquina de tierra. Cuenta con puentes, pasaganados, alcantarillas y desagües, para evitar que las lluvias la inunden. De este modo aumenta la seguridad del tránsito.

Cientos, miles de automóviles de todas clases pasan por la ruta día y noche sin cesar, a velocidades vertiginosas.

Lo mismo que el libro, el cine, el diario, la radio y la televisión, la ruta permite el acercamiento y la comprensión entre los hombres.

Pero hay que tener mucho, muchísimo cuidado con los accidentes. La prudencia debe ser norma fundamental.

Si no, ahí tenemos la prueba: algo grave acaba de ocurrir en aquella curva, junto al desvío del camino vecinal.

Se ha oído una fuerte frenada, un golpe seco, ruido de vidrios rotos, gritos, y en seguida las sirenas de la policía.

Acerquémonos a ver.

Una motocicleta ha chocado con la parte trasera de un automóvil. Este había frenado bruscamente sin previo aviso, para no atropellar a un ciclista que se desvió sin hacer la señal reglamentaria extendiendo el brazo.

El policía caminero impone una multa al ciclista.

Hay dos heridos: el conductor de la moto y un viajero del automóvil. Un médico que pasaba, se detiene y practica una cura de urgencia hasta que llegue la ambulancia.

Con un poco de prudencia pueden evitarse todas estas cosas.

El número de vehículos patentados aumenta cada día. Todos deseamos uno. Se amplía y moderniza la red caminera.

Aumentan los peligros derivados de la gran cantidad de coches y de su velocidad.

Nuestros antepasados, con sus carretas de bueyes y sus diligencias, no conocían estos riesgos.

Nosotros, en cambio estamos muy orgullosos de nuestra civilización.

Pero no olvidemos una cosa: que no está más civilizado un pueblo sólo por tener muchos automóviles y rutas.

El grado de civilización de un individuo o de una colectividad se mide antes que nada por el respeto al prójimo y el sentido de la responsabilidad.

Ejemplo: por la ruta vemos pasar un automóvil moderno a gran velocidad.

Cuando tuvo que adelantarse a otros vehículos, lo hizo de una manera incorrecta, sin previo aviso y en mitad de una curva.

Quizá su conductor se crea un hombre civilizado; pero en esta ocasión se está comportando como un salvaje.

Afortunadamente, un policía caminero le ordenó detenerse y le impuso una multa, evitando así un posible accidente y quién sabe si salvándole de paso la vida.

Este policía representa la autoridad.

Señales de Tránsito

Si no existiera la autoridad, la convivencia humana sería imposible.

El padre dentro de la familia, el intendente en la municipalidad, el gobernador en la provincia y el presidente en la nación, todos representan la autoridad.

Y así como el padre cuida de la educación y la seguridad de sus hijos, así también las autoridades competentes se ocupan de la educación y seguridad de los que transitan esta ruta y todas las rutas del país.

Para ello estudian los problemas del tránsito y las causas de los accidentes, y establecen unas normas de seguridad que son fijadas por Vialidad Nacional y la Policía de Tránsito.

*****

Aire libre

Los domingos y feriados, cuando hay sol y es agradable el tiempo, la gente de la ciudad va al campo.

Les gusta el bosque, la playa, la montaña.

Van en grupos alegres, con bolsos, mochilas y guitarras. Se bañan, platican, practican algún juego o deporte y comen en compañía.

Así descansan de la tarea semanal.

Hagamos igual que ellos. Aprovechemos el buen tiempo para organizar paseos y excursiones.

El aire libre, que contiene más oxígeno que el de las habitaciones, fortalece nuestro organismo.

Muchos son los juegos y deportes que podemos practicar.

Los aficionados a la pesca estarán a gusto a la orilla de ríos y lagos. Al pescador de caña no le faltarán ocasiones para ejercitar su paciencia.

Otro magnífico deporte al aire libre es el andinismo, aunque a veces puede resultar peligroso.

No olvidemos los deportes de nieve, la caza, el remo, el ciclismo y la natación.

Como podemos ver, al aficionado al aire libre nunca le faltará distracción.

Además de domingos y feriados, el que tenga tiempo, puede dedicar una o dos horas diarias a pasear y hacer ejercicio al aire libre.

Esto es necesario, sobre todo, para los que trabajan en lugares cerrados, como zapateros, herreros, comerciantes, y para los empleados en fábricas de harinas, de yeso o de cemento, donde se respira polvo y malos olores.

Cada día se está poniendo más en boga la vida al aire libre.

Y no dudamos que éste es uno de los modos más saludables y económicos de pasar unas bonitas vacaciones.

Algunas normas elementales de civismo son importantísimas en nuestra vida al aire libre. Por ejemplo: No ensuciar las aguas. No destruir las plantas ni los árboles jóvenes.

No dejar tirados en cualquier parte papeles, latas, botellas, basura.

No prender fuego ni arrojar al suelo colillas en zonas de bosque donde pueden producirse incendios.

No molestar a otras personas con ruidos o cantos inoportunos.

Si todo el mundo se tomara la molestia de hacer un pozo en la tierra y echara en él sus desperdicios, el campo estaría siempre limpio, sin otros olores que los de las plantas.

En la mochila del excursionista nunca debe faltar un pequeño botiquín con vendas y desinfectantes.

Es conveniente saber prestar los primeros auxilios a enfermos o heridos en accidentes: cortar una hemorragia, aliviar una insolación, hacer la respiración artificial a un ahogado.

La salud y el bienestar aumentan con la vida al aire libre.

No debemos seguir el ejemplo de los que pasan su tiempo de descanso en bares, boliches y otros locales cerrados.

La falta de ejercicio, la inmovilidad, el aire viciado, el juego y el abuso de la bebida arruinan la salud del cuerpo y del espíritu.

*****

El agua

Es muy bueno que abunde el agua. No hay ninguna bebida mejor cuando tenemos sed.

El agua entra en la composición de casi todos los cuerpos.

Casi tres cuartas partes de la superficie de la Tierra están cubiertas de agua.

Los océanos, en una época remota, ocupaban toda la Tierra. Su agua es salada.

Veamos a continuación el ciclo del agua:

1. El calor del sol evapora el agua y forma las nubes, que al enfriarse se convierten en nieve o lluvia.
2. El suelo absorbe el agua que cae de las nubes en forma de nieve, lluvia o granizo.
3. Esta agua corre luego debajo de la tierra y surge en las fuentes y manantiales, que originan los arroyos y los ríos.

4. Y ya tenemos el agua camino del mar, donde se evaporará de nuevo, y formará otra vez nubes, y volverá a llover y a nevar.

El agua es el principal alimento de las plantas, que a su vez sirven de alimento al hombre.

Donde no hay riego natural o artificial no puede haber cultivo de ninguna especie. Tampoco puede haber bosques ni pastos.

En los desiertos, donde no llueve nunca, no pueden vivir ni los animales ni las plantas.

El agua forma parte de nuestro cuerpo en gran cantidad; entra en la composición de la sangre, de los músculos y hasta de los huesos.

Sin agua tampoco nosotros podríamos vivir.

Antes que existiera el hombre existía el agua, y desde entonces fue una bebida indispensable.

Además, ella es muy necesaria para la higiene y la limpieza del cuerpo.

Como es la bebida más excelente para calmar la sed, es la única que deben conocer los niños; y a los adultos nos brinda muchas posibilidades de disfrutar una vida larga, sana y feliz.

*****

El alcohol

Desde hace miles de años el hombre fermentó el mosto de la uva y elaboró el vino.

Desde aquel día aprendió a fermentar distintos jugos y sustancias vegetales, convirtiendo el azúcar y el almidón de algunas plantas en alcohol.

El vino y la cerveza contienen alcohol en una cantidad moderada.

El coñac, la caña, la ginebra, la chicha y otras bebidas tienen mucho alcohol.

El alcohol en grandes cantidades es un veneno para el organismo humano, sus consecuencias son la borrachera, el embrutecimiento, enfermedades del corazón y del hígado y la muerte rápida.

En cantidades muy pequeñas, el alcohol se usa a veces como remedio. Por ejemplo, para reanimar a una persona helada de frío. O cuando se come demasiado para ayudar a la digestión.

Una persona que no toma alcohol también digiere fácilmente los alimentos tomando como bebida sólo agua.

Es un error creer que las bebidas alcohólicas dan fuerza al cuerpo.

El toro, el caballo, el puma y el león tienen mucha fuerza y resistencia y sólo toman el agua que les da la Naturaleza.

Hay hombres muy fuertes y muy inteligentes que no beben más que agua.

Pero eso no quiere decir que a los que les gusta el vino, la cerveza u otras bebidas parecidas deban privarse totalmente de ellas. La moderación debe ser condición indispensable en su consumo.

Aquí tenemos el caso vergonzoso de un hombre borracho.

Se dice, en broma, que un borracho se parece a tres animales: el mono, el puma y el cerdo.

Es que el alcohol hace que el hombre parezca una fiera.

Un hombre borracho se convierte en payaso y provoca la risa de los demás, pelea con los amigos, maltrata a sus familiares y tiene hijos enfermizos.

El borracho es un posible suicida u homicida cuando estando bebido maneja un vehículo o realiza cualquier otro trabajo de responsabilidad.

El alcoholismo es una de las mayores desgracias públicas que se conocen.

En Argentina, las provincias de San Juan y Mendoza, con sus ricos viñedos, producen los mejores vinos del mundo.

Pero no olvidemos que el vino hay que tomarlo con moderación, porque de lo contrario es un verdadero veneno.

*****

Los alimentos

Todos los seres tienen que alimentarse para vivir.

Las plantas se alimentan del sol, del aire, del agua y de las sustancias de la tierra.

Cuando la tierra es pobre, hay que enriquecerla con nuevas sustancias, que son los abonos. Es como si diéramos de comer a la tierra.

Hay abonos naturales y abonos artificiales. Los mejores son los que da la propia naturaleza: el estiércol y el humus.

Gracias a ellos las plantas crecen y nos dan sus frutos.

Para usar los abonos debemos tener en cuenta el consejo de los peritos agrícolas y demás personas entendidas. De este modo mejoraremos notablemente nuestras cosechas.

Los animales generalmente se alimentan con plantas.

Algunos, como las ovejas y la vaca, aprovechan las hojas verdes, es decir el pasto y el forraje.

Otros, como el pavo y la gallina, se alimentan principalmente de semillas como el maíz, el trigo y el centeno, aunque a veces comen hojas verdes y gusanos.

También hay animales carniceros, como el puma y el gato montés.

Ciertos pájaros devoran muchos insectos; por ejemplo, las golondrinas.

Y como los insectos atacan a las plantas y destruyen los cultivos, resulta que los pájaros que comen insectos son los mejores amigos del agricultor.

Es importante conocer la alimentación que debe darse a los animales domésticos. De este modo obtendremos mayor rendimiento y evitaremos sus enfermedades.

Si damos a una gallina pan blanco o harina y no le damos otra cosa de comer, a los pocos días el animalito se enferma y muere.

Pero si le damos granos de trigo enteros o harina revuelta con afrecho la gallina vivirá sana y bien alimentada.

Esto ocurre porque en el grano y el afrecho, que es la cáscara del grano de cereal desmenuzada por la molienda, es donde están las vitaminas.

Tratemos que no falte nunca a nuestros animales algún alimento fresco y jugoso, como lo da la tierra.

Y ya tenemos aquí la mesa puesta.

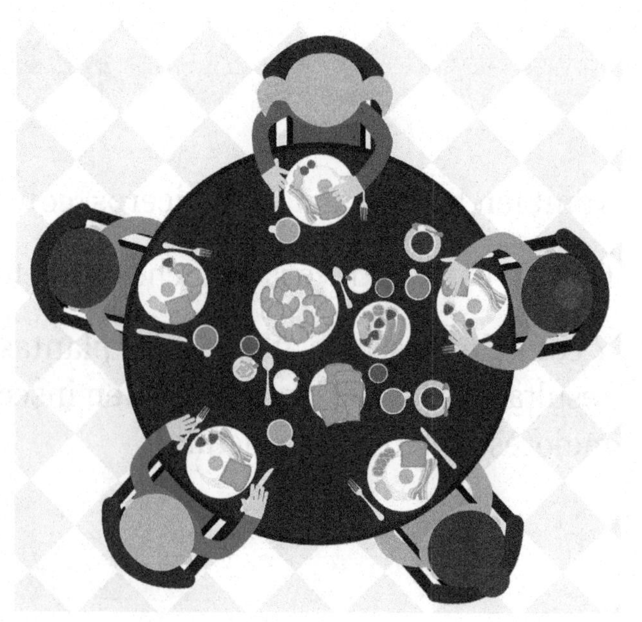

Vamos a ver cuáles son los mejores alimentos para nosotros y para nuestros hijos.

La salud y la vida de las personas dependen de la manera de comer y de beber.

En la mesa, puestos sobre el limpio mantel, tenemos alimentos vegetales y animales.

Hay mucha fruta. Las uvas y las manzanas maduras brillan como el sol. Con la sandía y las peras se nos hace agua la boca. Parece que sobre el mantel tenemos el mismo sol que las maduró.

Tampoco faltan los huevos frescos, cocinados de distintas maneras, y una gran jarra de leche recién ordeñada y hervida.

Junto a todo esto tenemos un pedazo de pan negro. El pan negro es mucho más sabroso y nutritivo que el pan blanco. Cuanto más blanco es el pan que comemos, peor defendidos estamos contra las enfermedades.

Y si no, recordemos el ejemplo de la gallina.

Junto a un enorme jarro lleno de agua de pozo, vemos una botella de vino. Un vasito de vino nunca hará mal a quien le guste.

Otros alimentos necesarios para la salud y el crecimiento son las verduras, la carne y el pescado.

La carne y el pescado tienen que ser muy frescos: el animal recién matado y el pez recién sacado del agua. De lo contrario podemos intoxicarnos y hasta morir.

La miel es un gran alimento: da mucha fuerza y alarga la vida.

Las papas, el arroz, el maíz y otros cereales deben comerse acompañados de verduras, frutas o leche.

Las comidas, en lo posible, deben variarse a menudo. No es saludable comer lo mismo todos los días del año.

No siempre los alimentos más caros son los mejores. Generalmente, ocurre lo contrario. Los cereales, el queso, el pescado, las ensaladas, las frutas de temporada y las frutas secas son alimentos baratos y muy nutritivos.

Para cuidar de nuestra salud debemos comer con moderación.

Hay quienes se enferman por comer demasiado.

No nos alimenta todo lo que comemos, sino solamente la parte que podemos digerir. Lo demás, en cambio, nos hace mal.

Los hombres que sólo comen lo necesario son los más fuertes y resistentes.

*****

La familia

Cuando cae el sol, vuelven a sus casas los trabajadores de la ciudad y del campo.

No todos pueden regresar a esa hora.

El conductor del tren, el vigilante, el peón que cuida el ganado, el minero que trabaja en el turno de la noche, no pueden cenar ni dormir en sus hogares.

Vuelve el trabajador del campo con sus animales o su tractor.

Vuelve el obrero con sus herramientas y el pescador con su lancha y sus redes.

En el hogar están contentos, rodeados de su mujer y sus hijos, en un ambiente de paz.

Aquí tenemos una familia de trabajadores.

El padre volvió cansado de su trabajo y se sentó a leer el diario.

La esposa prepara la cena y los hijos juegan o estudian.

Si los chicos se pelean, el padre les habla para calmarlos.

La familia existió siempre y es la forma más importante de la convivencia humana.

El trabajo, el cariño y las buenas costumbres son tres cosas fundamentales para que una familia sea feliz.

Una casa donde los padres se pelean y no se entienden, constituye un peligro para la unidad familiar.

Para que los hijos crezcan sanos y contentos es necesario que los padres se quieran y se comprendan.

Diariamente conviene dedicarles parte de nuestro tiempo libre, interviniendo en sus juegos u ocupándonos de todo aquello que sea motivo de interés de nuestros hijos.

Hay que vigilar la educación de los hijos, el cuidado y la administración del hogar.

Este padre, por ejemplo, le dice a su hijo que no coma con los dedos y obliga al otro a que se limpie los dientes después de cenar.

Luego arregla la llave de la luz, que estaba rota, y ayuda a su mujer a regar las plantas.

Después cuenta el dinero para decidir los gastos y los ahorros de la familia.

El ahorro es muy importante para que haya tranquilidad en una casa.

Quiere decir que cuando falta lo necesario es más difícil vivir en paz.

Los hombres inteligentes tratan siempre de ahorrar algo para evitar privaciones el día de mañana.

Antes de acostarse, la familia se reúne a escuchar la radio o a mirar la televisión. Están unidos y son felices.

*****

El trabajo

La casa en que vivimos, la ropa que nos ponemos, los alimentos, el gas o la electricidad que consumimos se deben al esfuerzo y a los conocimientos de hombres y mujeres que en muchos casos ni siquiera conocemos.

El médico estudia y se ocupa de nuestra salud.

El policía pasa la noche despierto para que podamos dormir tranquilos.

Por eso acostumbramos a exigir y a agradecer:

Que el pan que compramos sea de buena calidad; que la ropa esté bien confeccionada y nos quede bien; que el médico sepa curarnos como es debido; que el policía no se distraiga y nos defienda de los incendios o de los ladrones.

A cambio de todo esto, tenemos la obligación moral de hacer bien nuestro propio trabajo, sea cual fuere, para que los demás lo disfruten.

El artesano debe preocuparse por los detalles de su obra, y el funcionario está obligado a ser puntual y servicial en el cumplimiento de sus funciones.

El trabajo es indispensable para la vida. Sin él, el mundo no hubiese progresado: viviríamos aún en cuevas, comiendo raíces y carne cruda, desnudos y descalzos como los animales.

Es cierto que el trabajo constituye un esfuerzo, pero nos permite satisfacer nuestras necesidades actuales y prevenir las futuras.

El trabajo nos perfecciona y nos hace más dignos.

No sólo es trabajador el que emplea la fuerza de sus brazos y la habilidad de sus manos. También se trabaja con la cabeza y con el corazón.

Por ejemplo, tenemos al maestro, que cumple una de las tareas más nobles: enseñar al que no sabe.

El mundo volvería al salvajismo si los conocimientos adquiridos por el hombre a lo largo del tiempo no pasaran de unos a otros.

Esa es la importancia del trabajo del maestro y de todos aquellos, hombres o mujeres, jóvenes o viejos, que se dedican a la enseñanza.

Qué hermoso espectáculo es el de un día de trabajo.

Un hombre ara la tierra y canta.

Una mujer lava la ropa y después acuna a su hijo con canciones.

Suena el yunque en la herrería, se ponen en marcha los tractores y la Patria se agranda cada día con el trabajo del hombre.

*****

La ley

Todos los hombres somos iguales, todos tenemos el mismo derecho a la vida y a la libertad.

Tenemos derecho de usar los bienes y las cosas que obtenemos como fruto de nuestro trabajo. Nadie puede quitarnos la vida, la casa, las tierras. Nadie debe privarnos de la libertad.

Pero tampoco nosotros tenemos derecho a quitar la vida a nuestros semejantes, ni a apoderarnos de sus bienes, ni a privarlos de su libertad. Somos libres siempre que con nuestros actos no causemos daños a otros ni los perjudiquemos en sus derechos.

Decimos que tiene sentido de la responsabilidad el hombre que se comporta con pleno conocimiento de sus actos.

Sin esto no puede haber libertad. El que sabe dónde acaban sus derechos y empiezan sus deberes, decimos que es un hombre justo.

Algunos confunden el significado de la palabra libertad y creen que consiste en hacer todo aquello que les dé la gana, aunque perjudiquen o molesten a los demás.

No tenemos derecho a matar ni a robar a nuestros semejantes. Tampoco a ofenderlos con nuestra suciedad, con nuestros gritos destemplados o con nuestro reproductor de música sonando a todo volumen.

El respeto al prójimo es el principio de la justicia. Eso es lo que nos dice la ley de Dios y en eso se basan también las leyes de los hombres.

Debemos cumplir todas las leyes, desde las más importantes hasta las más simples.

Todos deseamos que se cumplan las leyes y tratados internacionales con el fin de que haya paz en el mundo.

Empecemos por cumplir las ordenanzas municipales para vivir en paz con nuestros vecinos.

En un estado moderno, todos somos iguales ante la ley y tenemos las mismas oportunidades para vivir, estudiar, trabajar y disfrutar del producto de nuestro esfuerzo.

Pero aunque seamos iguales en derechos y deberes, somos distintos en nuestra forma de ser.

Hay quien se destaca por su inteligencia, por su amor al estudio, por su valor o por su bondad.

Algunos de estos hombres inteligentes y capaces suelen ser los elegidos para redactar y hacer cumplir las leyes.

*****

La vida en el cuartel

A las seis de la mañana tocan diana en el cuartel.

No ha terminado aún de sonar el clarín cuando el ancho patio, desierto durante la noche, se llena de soldados.

Suboficiales y reclutas lo cruzan en todas direcciones. Van a los baños, a las duchas y a los comedores donde se sirve el desayuno.

Después, y con rápidas órdenes, forma la tropa y comienza la instrucción.

Los reclutas obedecen las voces de mando, desfilan marcialmente, ejecutan ejercicios más o menos perfectos.

Sólo hay un grupo de seis muchachos que no logran aprender. Hacen los ejercicios aparte, a las órdenes de un cabo.

Cuando el cabo manda a la derecha, siempre hay algunos que giran a la izquierda.

Los que miran se ríen. El cabo se enoja. Y vuelven a empezar.

Dos de los muchachos se esfuerzan por hacerlo bien.

Tienen carácter y fuerza de voluntad.

A los cuatro días saben hacer los movimientos tan bien como los demás.

Los otros que no ponen el empeño necesario deben continuar ejercitándose hasta lograr la capacitación que les permita estar en igualdad de condiciones con el resto de sus compañeros.

La obediencia y la disciplina son fundamentales en el ejército.

El soldado obedece al cabo, el cabo al sargento, el sargento al subteniente, teniente y el capitán, y todos ellos al mayor y al coronel.

Llega la fecha patria y ese día los reclutas juran la bandera. Gran fiesta en el regimiento, se recuerda la noble figura del creador de su enseña patria.

Los capitanes hacen cabos conscriptos a los más destacados de cada compañía. Entre ellos, a aquellos dos que tanto les costó aprender.

Ahora son soldados ejemplares con el entrenamiento y el valor que de todo hombre exige la defensa de la Patria.

*****

Las tres armas

La historia del ejército es una historia de coraje, de valor, de supremo sacrificio por la Patria.

Al principio, cuando se organizó el ejército, las armas eran muy primitivas. Por ejemplo, en Sudamérica los gauchos que formaban regimientos de caballería usaban las tacuaras.

La infantería era incansable y caminaba leguas y leguas por la pampa. Sus soldados realizaron las mayores proezas, como cuando cruzaron con el Libertador General José de San Martín, la Cordillera de los Andes. La artillería era tirada por caballos o llevada a lomo de mula. Pero todo eso ha cambiado.

La infantería se desplaza ahora en camiones veloces y protegidos; o en vehículos con orugas que se afirman en el suelo y avanzan indestructibles. Habrás visto los tanques, esos reyes de la llanura.

Pero esas armas de nada servirán si no tienes valor y subordinación para servir a la Patria.

Los barcos con que se formó la Armada eran de madera, con velas, incómodos para las tripulaciones, con los cañones apoyados contra las bordas del navío.

Luego, el progreso hizo que a los barcos de vela se les pusieran unas calderas de carbón y navegaran a vapor.

Las naves de la Armada forman parte de una marina eficaz y actual. Los cruceros son veloces, con una gran artillería. Los submarinos vigilan la paz de la Patria, sumergidos en el océano. Llevan torpedos, y cuando salen a la superficie usan cañones. Los destructores y torpederos son los guardianes del mar.

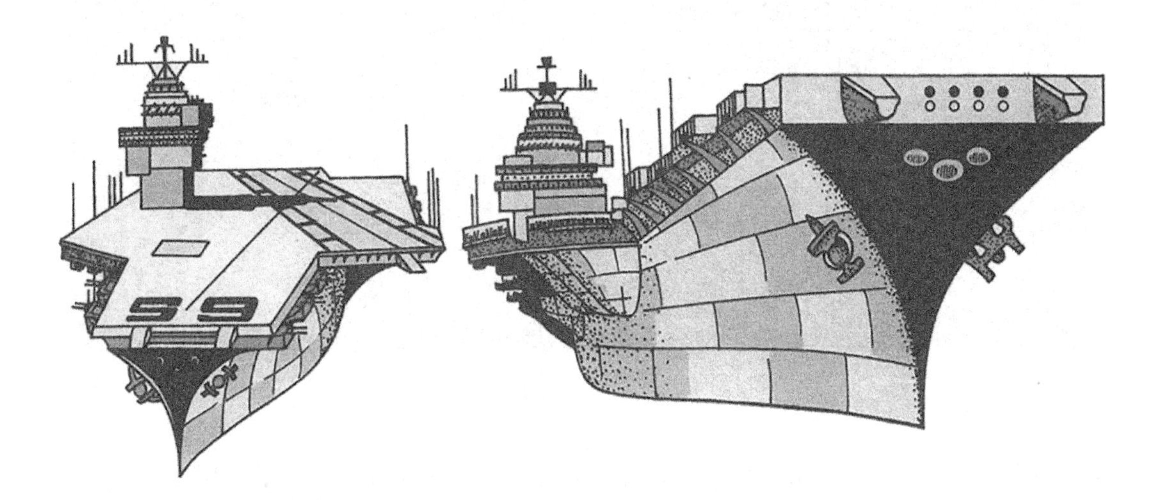

Cuidan de los transportes que llevan tropas, de los cruceros, de los portaviones. Los portaviones son como aeródromos flotantes. La Fuerza Armada de cada país tiene un portaviones desde el cual despegan los aviones de guerra.

Se empezaron a utilizar los aviones para la guerra en el año 1914, con la Primera Guerra Mundial. Y desde entonces se han convertido en un arma imprescindible en todas las operaciones militares.

Los modernos aviones recorren mayores distancias, volando a muchos miles de kilómetros, de un continente a otro. Alcanzan también mayor velocidad y suben a mayor altura.

Esto es posible gracias a los motores a reacción, que han sustituido a las hélices. Algunos de estos aviones a reacción son más veloces que el sonido.

Junto a estos aparatos, la Aeronáutica cuenta con otros modernos ingenios, como los hidroaviones, helicópteros y cohetes.

Los cohetes pueden hacer vuelos larguísimos y alcanzan con toda exactitud objetivos enemigos a muchos kilómetros de distancia.

*****

Las grandes empresas humanas

Hoy podemos ir por los caminos con bastante tranquilidad.

Las casas en que vivimos son sólidas, cálidas en invierno y frescas en verano, y es raro que falte en ellas lo suficiente para vivir.

En la calle hay policías que nos protegen.

Si queremos viajar, tomamos el bus, el tren, el avión o el barco.

No podemos decir que nos faltan diversiones, porque hasta en los más modestos pueblos hay cines, lugares para ir a comer y ferias para visitar.

Pero hace miles de años, nuestros antepasados, los primeros pobladores del mundo, vivían de una forma muy distinta.

No había casas, ni policías, ni caminos.

Los alimentos y las cuevas en que se refugiaban, los conseguían luchando con las fieras.

Los fuertes abusaban de los débiles.

Y estaban indefensos contra los hielos, las plagas y las tempestades. Eran muchos los que morían de hambre, de frío y de enfermedades.

Sin embargo, en medio de este gran desamparo, la inteligencia del hombre ideó una vida mejor.

Un hombre inteligente y audaz encendió por primera vez el fuego y lo aprovechó para cocinar los alimentos y para calentar la gruta en que vivía.

Más tarde, otros hombres utilizaron el fuego para fabricar armas y herramientas.

Uno de aquellos hombres primitivos inventó la rueda. A otro se le ocurrió domesticar animales. Aprendieron a hacer casas, embarcaciones y arados.

Las familias se organizaron en tribus, las tribus en reinos, los reinos en imperios.

Así empezó lo que llamamos Historia.

¡Cuántos hombres audaces! ¡Cuántos hombres inteligentes! Julio César conquista el mundo antiguo. Cristóbal Colón descubre un nuevo mundo.

Cada día hay más sabios que inventan o descubren cosas. El hombre domina poco a poco a la naturaleza.

Se progresa en la ciencia, en la técnica, y también en los métodos de enseñanza, en la economía y en el arte.

Así llegamos al mundo de nuestros días tal como lo contemplamos en esta tarde de estío.

Paz en el bosque. Paz en el río y en la montaña, en la ciudad y en el pueblo.

Un avión a chorro deja en el cielo azul su estela blanca, mientras que en un campo próximo las trilladoras aseguran el pan.

*****

Hacia un mundo mejor

Pero no todo es bueno y perfecto aún...

Todavía hay guerras. Para algunas enfermedades no se ha descubierto el remedio.

El hambre, el frío, el miedo y otras desgracias no han dejado de preocupar a los hombres. Existen pueblos atrasados donde no llegan las ventajas de la civilización.

Y por otra parte, las comodidades materiales no bastan para hacer felices a los hombres.

Necesitamos amor y comprensión.

Sí, el amor y la comprensión hacia los demás son factores claves.

No debemos olvidar que somos semejantes a aquellos hombres que inventaron y descubrieron las primeras cosas.

Así estaremos dispuestos a crear, a inventar, a trabajar, a perfeccionarlo todo.

Los alimentos, las medicinas, los vestidos, todas las cosas buenas y útiles que el hombre produce deben llegar a todos los rincones del mundo y beneficiar a todos los hombres.

Esto se conseguirá con la buena organización; pero sin comprensión y amor difícilmente se lograrán resultados positivos.

Este suele ser el problema de algunos servicios públicos. Sin calor humano y sin verdadero amor al prójimo jamás funcionarán bien.

La comprensión y el amor a los demás son las grandes luces que alumbran el camino hacia un mundo mejor.

*****

Estimado Lector:

Nos interesan mucho tus comentarios y opiniones sobre esta obra. Por favor ayúdanos comentando sobre este libro. Puedes hacerlo dejando una reseña en la tienda donde lo has adquirido.

Puedes también escribirnos por correo electrónico a la siguiente dirección **info@editorialimagen.com.**

Si deseas más libros como éste puedes visitar el sitio web de **Editorialimagen.com** para ver los nuevos títulos disponibles y aprovechar los descuentos y precios especiales que publicamos cada semana.

Allí mismo puedes contactarnos directamente si tienes dudas, preguntas o cualquier sugerencia. ¡Esperamos saber de ti!

Otros libros de Editorial Imagen

Creciendo Con Dios

En este libro de lecciones bíblicas el niño podrá aprender los cinco escalones de la salvación, quién es Dios, qué es la Biblia y el camino hacia la victoria espiritual. Contiene dibujos para colorear y textos bíblicos para facilitar el aprendizaje.

Esteban Vence sus Miedos y Conoce al Mejor Súper Héroe (Cuentos Para Niños de 3 a 5 años) por Diana Baker y Gara Batos

Este libro relata varias aventuras del pequeño Esteban, a quien le gusta jugar y divertirse con sus hermanos. En una oscura noche, el miedo se apoderó de él, pero luego conoció a alguien que cambió su vida para siempre, conoció al mejor Súper Héroe, uno real! Descubre tú mismo de quién se trata…

Amigo de Dios - Un libro ilustrado para niños que desean estar más cerca de Dios

Descubre cómo ser amigo de Dios a través de historias ilustradas sencillas y divertidas. Contiene historias bíblicas tales como "El Tesoro Escondido" y un cuento para niños sobre el valor del dar: "Regalos del Corazón".

El Gran Libro de las Adivinanzas

En este libro encontrarás cientos de adivinanzas de todo tipo. Más de 90 páginas de entretenimiento! Adivinanzas de animales, alimentos, árboles y plantas, de cosas de la casa, y muchísimo más! Es un libro verdaderamente imperdible, que te hará pasar un tiempo espectacular con tu familia. No pararás de sorprender a tus amigos con las preguntas más desconcertantes!

Autos Súper Deportivos - Descubre los automóviles más fascinantes del mundo

Este no es un libro común: Es un "Libro Juego". Este libro pondrá a prueba tus conocimientos sobre automóviles y te irá enseñando todavía más cada vez que lo juegues. ¿Cómo se juega? Muy sencillo. Déjame explicarte. Cada capítulo empieza con datos reales de un automóvil en particular. Al final del mismo tendrás tres opciones para escoger de qué auto estamos hablando.

Milena - La Princesita Viajera

Este libro ilustrado cuenta varias aventuras de Milena, una niña a la que le encanta viajar por el mundo. De la serie Cuentos para Niños, este libro es perfecto para aquellos padres que buscan cuentos infantiles ilustrados para los más pequeños.

*****

CPSIA information can be obtained
at www.ICGtesting.com
Printed in the USA
LVOW02s0846080917
547997LV00011B/700/P

9 781640 810358